D1366021

300   400 Feet

BOAT DECK
A
B
C
D
E
F
LOWER

1ST CL. PROMENADE   FIRST CLASS

READING & WRITING ROOM   1ST CLASS   VENT TRUNK

BOILER UPTAKE CASING   BOILER UPTAKE CASING

CORRIDOR   ENTRANCE

WITH LARGE WINDOWS
& STARB?

FIRST CLASS   FORECASTLE DECK.

1ST CLASS   SITTING ROOM

STEW-ARDESS LADIES   BOILER UPTAKE CASING   BOILER UPTAKE CASING   STEAM WINCHES   STEAM WINCH   CAPSTAN   CAPSTAN

ENTRANCE   SITTING ROOM   NO 1 HOLD   CAPSTAN   CAPSTAN

SUITE OF ROOMS   PARLOUR SUITE

EXPLORE
LE TITANIC

AVEC D'EXTRAORDINAIRES IMAGES 3D
SPÉCIALEMENT CRÉÉES POUR CET ALBUM !

par
Peter Chrisp

Illustré par
Somchith Vongprachanh

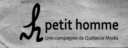

petit homme
Une compagnie de Quebecor Media

Édition originale parue sous le titre *Explore Titanic*
© 2011 Carlton Books Limited, Londres
pour les textes et les illustrations
© 2011 Carlton Books Limited, Londres
pour la maquette
© 2012 Gallimard Jeunesse, Paris
pour la traduction française

Pour l'édition originale
Conception : Darren Jordan
Édition : Paul Virr
Écrit par Peter Chrisp
Direction de la correction : Darren Jordan
Illustrateur : Somchith Vongprachanh
Maquettiste : Danny Baldwin
Maquette de couverture : Ceri Hurst
Iconographe : Steve Behan
Photographie complémentaire : Karl Adamson
Fabrication : Kate Pimm

© Pour l'édition française au Canada
Les Éditions Petit Homme, division du Groupe
Sogides inc., filiale de Quebecor Media inc.
(Montréal, Québec)

04-12
Tous droits réservés
Dépôt légal : 2012
Bibliothèque et Archives nationales du Québec
ISBN 978-2-924025-10-9

DISTRIBUTEUR EXCLUSIF :
Pour le Canada et les États-Unis :
MESSAGERIES ADP*
2315, rue de la Province
Longueuil, Québec J4G 1G4
Téléphone : 450 640-1237
Télécopieur : 450 674-6237
Internet : www.messageries-adp.com
* filiale du Groupe Sogides inc.,
  filiale de Quebecor Media inc.

Gouvernement du Québec – Programme de crédit
d'impôt pour l'édition de livres – Gestion SODEC –
www.sodec.gouv.qc.ca

L'Éditeur bénéficie du soutien de la Société de
développement des entreprises culturelles du
Québec pour son programme d'édition.

Conseil des Arts   Canada Council
du Canada   for the Arts

Nous remercions le Conseil des Arts du Canada de
l'aide accordée à notre programme de publication.

Nous reconnaissons l'aide financière du
gouvernement du Canada par l'entremise du Fonds
du livre du Canada pour nos activités d'édition.

Imprimé en Chine

CRÉDITS PHOTOS

Les éditeurs souhaitent remercier les personnes et agences
suivantes pour leur aimable autorisation de reproduction
de leurs photographies ou documents.

UN PROJET GRANDIOSE 4-5
Mary Evans Picture Library (*Mauretania*), Getty Images/
SSPL (lord William Pirrie), reproduit avec leur aimable
autorisation © Musées nationaux d'Irlande du Nord (James
Bruce Ismay), reproduit avec leur aimable autorisation
© Musées nationaux d'Irlande du Nord (publicité pour
le *Titanic* et l'*Olympic*), Corbis/Collection Sean Sexton
(bureau d'études), Corbis/The Mariners' Museum (vue
en coupe du *Titanic*), Corbis/Underwood & Underwood
(Thomas Andrews)

LA CONSTRUCTION 6-7
Topfoto.co.uk (construction du *Titanic*), © Musées
nationaux d'Irlande du Nord 2011, Collection Harland &
Wolff, Ulster Folk & Transport Museum (publicité Harland
& Wolff), (H 1919) © Musées nationaux d'Irlande
du Nord 2011, Collection Harland & Wolff, Ulster Folk
& Transport Museum (rivetage hydraulique, *Britannic*,
25 mai 1913), Science Photo Library (hélice), Corbis/
Michael Maloney/*San Francisco Chronicle*
(partie du *Titanic*)

PRÊT À NAVIGUER 8-9
(TR59-4) © Musées nationaux d'Irlande du Nord 2011,
Collection Ulster Folk & Transport Museum (invitation
au lancement du *Titanic*), Mary Evans Picture Library
(chaudières du *Titanic* soulevées), Corbis/Collection
Hulton-Deutsch (tests de navigabilité), Corbis/Ralph
White (capitaine E. J. Smith), © Musées nationaux
d'Irlande du Nord 2011, Collection Ulster Folk &
Transport Museum (le *Titanic* à quai à Southampton,
10 avril 1912, Courtney #5), Carlton Books (sirène)

LE VOYAGE COMMENCE 10-11
Getty Images (sacs postaux transportés à bord), reproduit
avec l'aimable autorisation des Musées nationaux
d'Irlande du Nord 2011 (carte postale du *Titanic*),
Collection Père Browne S. J. (passagers irlandais), Mary
Evans Picture Library (carte), Getty Images (jumelles,
Francis Browne et vue de la poupe du *Titanic*)

EN AVANT TOUTE ! 12-13
(H 1711) Reproduit avec l'aimable autorisation des
Musées nationaux d'Irlande du Nord (moteur), Alamy
(chaufferie), Corbis/Betmann (Straus)

BIENVENUE À BORD 14-15
Municipalité de Southampton (steward), Collection Père
Browne S. J. (passager)

EN PREMIÈRE 16-17
Reproduit avec l'aimable autorisation des Musées
nationaux d'Irlande du Nord (salle de bains de première
classe) (H401-C), Rex Features/Richard Gardner (cabine)

DE FOND EN COMBLE 18-19
Rex Features/John Lodge (chaise longue), Rex Features/
Sipa Press (Café Parisien et tasse et soucoupe), Getty
Images (salle de gymnastique), Mary Evans Picture
Library/Onslow Auctions Limited (bains turcs)

PIQUER UNE TÊTE 20-21
Carlton Books (pont F : piscine et vestiaires), Mary Evans
Picture Library (photo publicitaire de la piscine du
Titanic), © Copyright 2005 Ohrstrom Library, et St. Paul's
School (colonel Archibald Gracie)

LE-DÎNER EST SERVI 22-23
Topfoto.co.uk/PA (menu), Rex Features/Sipa Press (assiette
en porcelaine), Getty Images (lady Duff Gordon)

EN DEUXIÈME CLASSE 24-25
Topfoto.co.uk (passagers de deuxième classe et Laurence
Beesley), Mary Evans Picture Library (cabine)

L'ENTREPONT 26-27
Rex Features/Phil Yeomans (carnet), Collection Père
Browne S. J. (passagers), reproduit avec l'aimable
autorisation des Musées nationaux d'Irlande du Nord (salle
de lecture et salle commune de troisième classe), collection
privée (salle à manger de troisième classe), Rex Features/
Peter Brooker (tasse et soucoupe)

SOUDAIN, LA CATASTROPHE 28-29
Rex Features/Nils Jorgensen (cloche d'alerte du navire),
Topfoto.co.uk/PA (premier officier William Murdoch)

QUITTEZ LE NAVIRE ! 30-31
Mary Evans Picture Library (iceberg), Rex Features/
Collection Stanley Lehrer (gilet de sauvetage), Corbis/
Collection Hulton-Deutsch (canots de sauvetage), Getty
Images (opérateur radio), Topfoto.co.uk (Jack Phillips)

VOLET DÉPLIANT
Getty Images (fusée de détresse)

À L'ASSAUT DES CANOTS 32-33
Corbis/Bettmann (descente des canots de sauvetage,
illustration, Molly Brown), Mary Evans Picture Library/
Illustrated London News (Charles Lightoller), Topfoto.co.uk
(Charles Hendrickson, carte postale, comtesse Rothes)

DERNIERS INSTANTS 34-35
Corbis/Bettmann (Benjamin Guggenheim), Mary Evans
Picture Library/*Illustrated London News* (musiciens)

LE SAUVETAGE 36-37
Mary Evans Picture Library/Illustrated London News (le
Carpathia, survivants à bord du *Carpathia* et rescapés),
Getty Images (capitaine Arthur Rostron) Mary Evans
Picture Library/Onslow Auctions Limited (médaille),
Corbis/Bettmann (canot de sauvetage)

APRÈS LA TRAGÉDIE 38-39
Corbis/Bettmann (J. Bruce Ismay), Getty Images (jeune
vendeur de journaux), Alamy/Colin Palmer Photography
(mémorial), Istockphoto.com (Gramophone), Rex
Features/Everett Collection (affiches de films)

L'ÉPAVE AUJOURD'HUI 40-41
Corbis/Ralph White (proue du *Titanic*, plats, hélice),
Rex Features/Tony Kyriacou (chapeau)

Toutes les autres images ont été créées en 3D par
Somchith Vongprachanh, © Carlton Books Ltd.

Nous avons tout mis en œuvre pour identifier la source
ou le détenteur du copyright de chaque photographie ou
document et prendre contact avec lui ; Les Éditions Petit
Homme s'excusent par avance de toute erreur ou omission
éventuelle, qui sera corrigée dans une édition ultérieure de
ce livre.

EXPLORE LE TITANIC

Aucun autre bateau n'a enflammé notre imagination aussi vivement que le *Titanic*; pourtant, il ne reste que quelques photographies en noir et blanc pour nous en faire une idée précise – du moins, jusqu'à présent.

À partir de ses plans originaux, nous avons créé numériquement des images 3D plus vraies que nature de ce paquebot. Tu vas ainsi pouvoir découvrir le *Titanic* tel qu'il était, en couleurs et dans toute sa splendeur. Ces images inédites sont tellement réalistes que tu n'en croiras pas tes yeux !

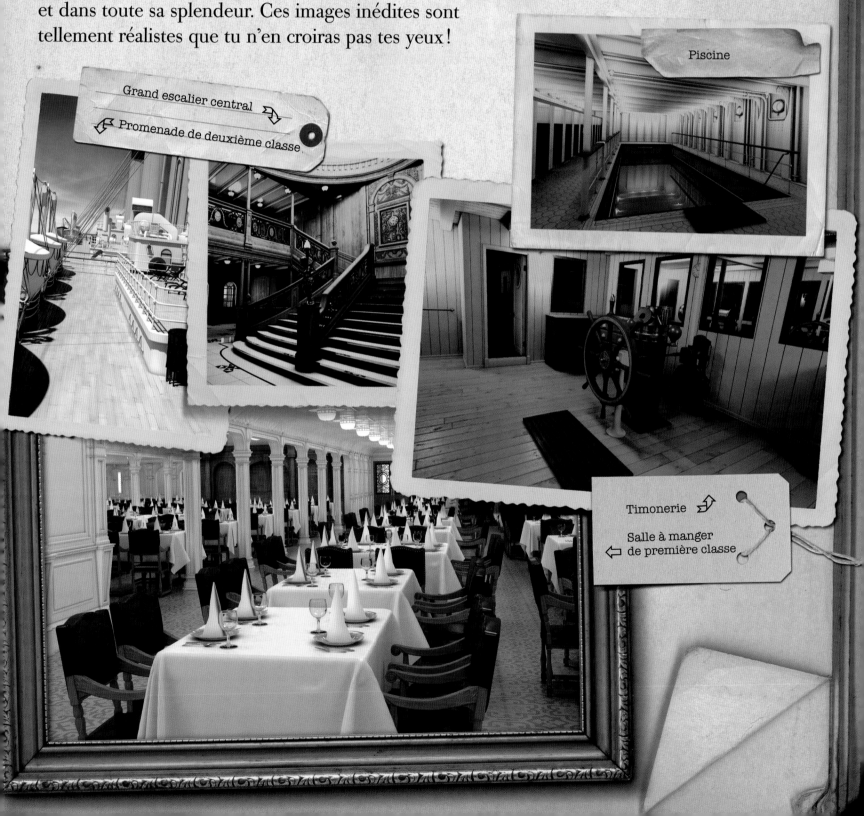

Grand escalier central

Promenade de deuxième classe

Piscine

Timonerie

Salle à manger de première classe

UN PROJET GRANDIOSE

Le début du xxᵉ siècle fut l'âge d'or des paquebots transatlantiques ; près d'un million de personnes émigraient chaque année d'Europe vers les États-Unis. Deux compagnies maritimes anglaises se faisaient concurrence pour attirer les passagers désireux de traverser l'Atlantique : la White Star et la Cunard.

R.M.S. "MAURETANIA."

LA COURSE AU RUBAN BLEU

Le paquebot le plus rapide pour traverser l'Atlantique était autorisé à accrocher à son grand mât un fanion bleu appelé le Ruban bleu. En 1907, la Cunard remporta cette récompense au détriment de la White Star grâce au *Mauretania*, et la conserva pendant vingt-deux ans.

À son lancement, le *Mauretania* était le paquebot le plus rapide du monde. Avec une vitesse maximale de 28 nœuds (52 km/h), il traversait l'Atlantique en moins d'une semaine.

PLUS GRAND, C'EST MIEUX

La réussite de la Cunard inquiétait James Bruce Ismay, le directeur général de la White Star, et son associé, le constructeur naval lord William Pirrie. En 1907, ils élaborèrent un projet susceptible de leur donner un avantage sur la Cunard. La White Star allait construire trois immenses navires qui seraient les plus grands paquebots du monde, chacun d'eux faisant une fois et demie le tonnage du *Mauretania* de la Cunard.

LORD WILLIAM PIRRIE

JAMES BRUCE ISMAY

NAVIGUER AVEC CLASSE

Les nouveaux paquebots de la White Star ne seraient pas aussi rapides que le *Mauretania*, mais ils rapporteraient davantage parce qu'ils pourraient transporter plus de passagers. Ils attireraient aussi les clients les plus fortunés par leur luxe incroyable. La décoration et le mobilier seraient tellement somptueux que les passagers se croiraient dans un palace plutôt qu'à bord d'un navire.

La salle de dessin industriel des chantiers Harland & Wolff mit plusieurs mois à concevoir le *Titanic*.

La publicité de la White Star vantait la taille incroyable de ses deux premiers nouveaux bateaux, l'*Olympic* et le *Titanic*.

RÉALISATION DES PLANS

Les nouveaux bateaux allaient être construits à Belfast (Irlande du Nord) par Harland & Wolff, la société de William Pirrie. Son neveu, Thomas Andrews, y était responsable du département du dessin industriel ; Andrews et son équipe s'attelèrent alors à la conception des plus grands navires jamais construits. Ils dessinèrent à la main des milliers de plans détaillés. Très fier du travail accompli, Andrews estima que le *Titanic* était le navire parfait.

Compartiments étanches

INSUBMERSIBLE ?

Par mesure de sécurité, les concepteurs divisèrent la partie inférieure de chaque navire en 16 compartiments étanches. En cas d'urgence, ceux-ci seraient bloqués par des portes à commande électrique, permettant ainsi au bateau de rester à flot – à condition qu'il n'y ait pas plus de deux compartiments inondés.

« Ce navire est aussi parfait qu'il peut l'être en étant conçu par un cerveau humain. »

THOMAS ANDREWS

Thomas Andrews, architecte du Titanic, à un passager

LA CONSTRUCTION

Les plans achevés, on s'attela à la tâche colossale de construire le *Titanic* et ses navires-jumeaux, l'*Olympic* et le *Britannic*. Les chantiers navals Harland & Wolff les fabriquèrent en deux ans.

Le *Titanic* fut construit sur la cale d'où il allait être lancé. Le portique qui entourait le paquebot mesurait 70 m de hauteur.

CONSTRUIT À BELFAST

Harland & Wolff était la première entreprise de construction navale du monde. Basée à Belfast, en Irlande du Nord, elle était réputée pour respecter les délais et le budget impartis. Elle mettait en œuvre les technologies de pointe de cette l'époque.

HARLAND & WOLFF, LIMITED.

Builders of the "OLYMPIC" and "TITANIC," the largest steamers in the World, 45,000 tons each.

BELFAST WORKS.

Cette publicité pour Harland & Wolff montre le gigantisme des chantiers navals où fut construit le *Titanic*.

PREMIERS PAS

Avant le début de la construction, deux nouvelles cales spéciales furent aménagées et un immense portique en acier, qui supportait des grues pivotantes, fut édifié.

LE TRAVAIL COMMENCE

La quille, colonne vertébrale métallique du navire, fut posée en premier le 31 mars 1909. Elle mesurait 269 m, plus longue que deux terrains de football.

LE SQUELETTE DU NAVIRE

Tout le long de la quille, les membrures, pièces métalliques incurvées, furent fixées pour former l'ossature du navire. Ensuite, des plaques d'acier furent attachées aux membrures pour former la coque.

UNE ÉQUIPE TITANESQUE

La construction du *Titanic* employa plus de 6 000 ouvriers et apprentis. L'entreprise ne fut pas sans danger : elle fit plus de 450 blessés et 17 morts.

Riveteur utilisant une machine de rivetage hydraulique. Cinq ans d'expérience étaient nécessaires pour devenir un riveteur confirmé.

UNE COQUE ÉTANCHE

Les plaques d'acier fixées aux membrures du navire faisaient 2,5 cm d'épaisseur. Solidement maintenues en place à l'aide de rivets en fer ou en acier, elles formaient la coque.

LA FIXATION DES PLAQUES

À la proue et à la poupe du *Titanic*, tous les rivets furent fixés à la main par une équipe de trois hommes et deux apprentis. Dans la section centrale du navire, où il y avait plus de place, on put utiliser de toutes nouvelles et volumineuses machines de rivetage.

Plus de 3 millions de rivets furent utilisés. Les ouvriers étant payés au rivet, ils travaillaient le plus vite possible.

À la poupe, les ouvriers posèrent l'hélice centrale et les deux hélices latérales destinées à propulser et manœuvrer le navire.

LE RIVETAGE

Ce travail hautement qualifié consistait à chauffer chaque rivet dans un four jusqu'à ce qu'il devienne incandescent, puis à l'insérer dans un trou traversant une plaque et une membrure de la coque avant d'aplatir chacune de ses extrémités à coups de marteau.

PRÊT À NAVIGUER

Le 31 mai 1911, peu après midi, le *Titanic* fut lancé. En un peu plus d'une minute, il glissa de la cale à l'eau, sous les acclamations d'une foule de 100 000 personnes.

LE JOUR DU LANCEMENT

Le *Titanic* était alors une coquille vide mais il pesait pourtant près de 26 000 t – ce qui en faisait un des objets les plus lourds jamais déplacés par l'homme. Il fut poussé le long de la cale enduite de graisse grâce à une machine actionnée par le responsable du chantier naval, Charles Payne.

Launch
OF
White Star Royal Mail Triple-Screw Steamer
"TITANIC"
At BELFAST,
Wednesday, 31st May, 1911, at 12-15 p.m.
Admit Bearer.

La White Star vendit des billets pour le lancement. L'argent récolté fut reversé à des œuvres de charité.

Une des énormes chaudières du *Titanic* est déposée à l'intérieur du navire, qu'il faut encore équiper de ses quatre cheminées.

INSTALLATIONS ET ÉQUIPEMENTS

Mis à l'eau, le *Titanic* fut remorqué jusqu'à son bassin d'armement où l'on continua à travailler sur lui pendant plus de dix mois. Les moteurs, les cheminées et tous ses aménagements intérieurs luxueux furent installés.

ESSAIS

Avant de pouvoir transporter des passagers, le *Titanic* fut soumis à une série d'essais appelés tests de navigabilité. Le 2 avril 1912, il fut remorqué jusque dans l'anse de Belfast Lough où il navigua pour la première fois.

APTE À LA NAVIGATION

Le navire effectua des cercles à des vitesses différentes. Un test d'arrêt d'urgence montra qu'il lui fallait trois minutes et quinze secondes pour stopper et 777 m, une performance satisfaisante pour un vaisseau de cette taille. Le *Titanic* fut officiellement déclaré apte à la navigation.

Tiré par cinq remorqueurs, le *Titanic* fait son entrée dans l'anse de Belfast Lough pour y passer des tests de navigabilité.

LE CAPITAINE E. J. SMITH

CAP SUR SOUTHAMPTON

Aussitôt après avoir passé ses tests de navigabilité, le *Titanic* mit le cap sur Southampton, avec à son bord un équipage restreint sous le commandement du capitaine E. J. Smith. Capitaine le plus expérimenté de la White Star, il avait commandé auparavant le navire-jumeau du *Titanic*, l'*Olympic*.

« En quarante années de mer […] je n'ai jamais vu de naufrage et je n'ai jamais fait naufrage. »

Capitaine E. J. Smith

TOUCHES FINALES

Le 3 avril 1912 à minuit, le *Titanic* atteignit Southampton. Au cours de la semaine suivante, 724 personnes furent recrutées pour faire partie de l'équipage et de grandes quantités de marchandises furent chargées à bord. Des touches finales ont alors été apportées à la décoration intérieure du navire : on déroula des tapis et on suspendit des rideaux.

EMBARQUEMENT

Le matin du mercredi 10 avril, près de 1 000 passagers embarquèrent à bord du navire et furent conduits à leurs cabines. Enfin, à midi, le *Titanic* entama son voyage inaugural à destination de la France, de l'Irlande et des États-Unis.

Avant son départ, les sirènes du navire retentirent trois fois, et on les entendit dans toute la ville.

Le *Titanic* mouilla à Southampton où un immense quai avait été construit pour les gigantesques paquebots de la White Star.

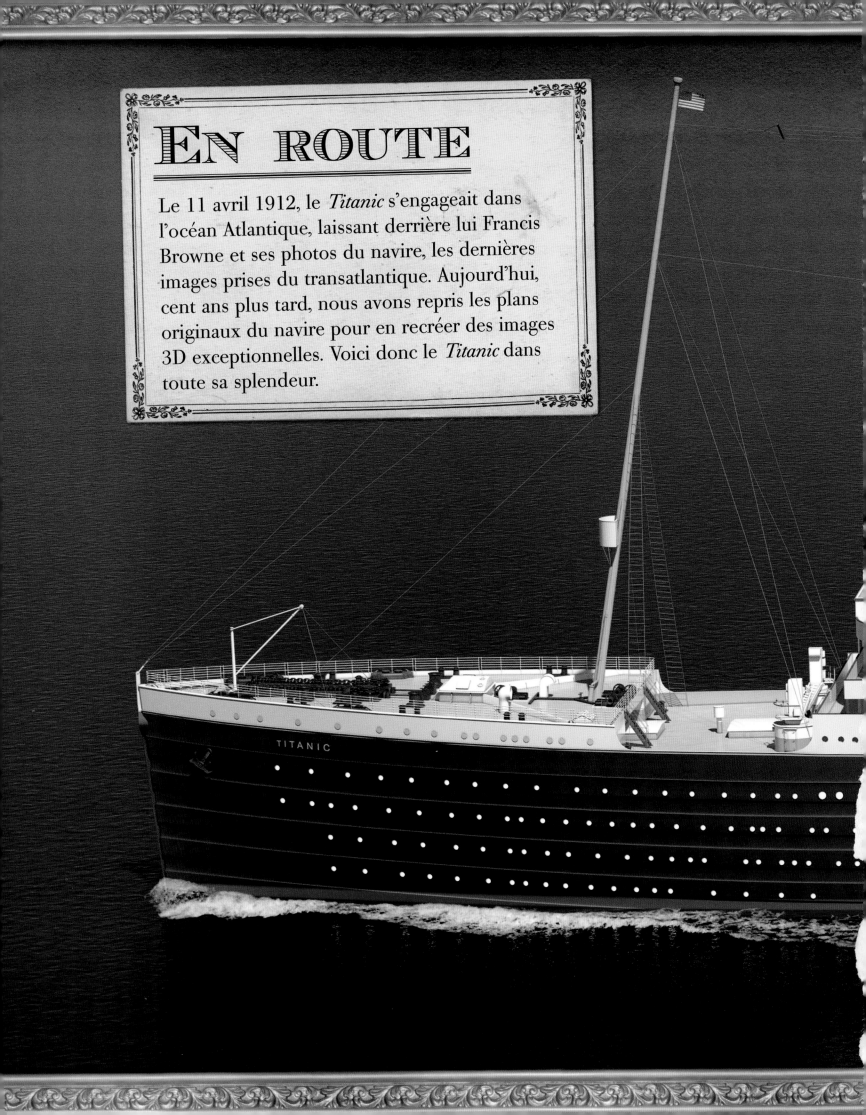

EN ROUTE

Le 11 avril 1912, le *Titanic* s'engageait dans l'océan Atlantique, laissant derrière lui Francis Browne et ses photos du navire, les dernières images prises du transatlantique. Aujourd'hui, cent ans plus tard, nous avons repris les plans originaux du navire pour en recréer des images 3D exceptionnelles. Voici donc le *Titanic* dans toute sa splendeur.

LE VOYAGE COMMENCE

Le *Titanic* fit deux brefs arrêts pour embarquer d'autres passagers – d'abord à Cherbourg, en France, puis à Queenstown, en Irlande. Le 11 avril, enfin, il mit le cap sur New York, transportant 1324 passagers et 899 membres d'équipage.

UNE POSTE FLOTTANTE

À chaque escale, le navire embarquait également des sacs postaux – plus de 4 500 sacs contenant quelque 400 000 lettres. Ces dernières, ainsi que toutes celles envoyées par les passagers, furent triées pendant le voyage par les cinq postiers du navire.

Transportés à bord à Queenstown, ces sacs postaux étaient remplis de lettres écrites par des Irlandais à des parents qui avaient émigré aux États-Unis.

UN NAVIRE POSTAL

Le nom exact du navire était le RMS *Titanic* – les initiales RMS signifiant *Royal Mail Ship*, navire postal royal. Les navires assurant ce service devaient être rapides et fiables. Si l'un d'eux livrait le courrier en retard, il écopait d'une amende et pouvait perdre son titre officiel de R.M.S.

WHITE STAR LINE

Triple-Screw R.M.S. "OLYMPIC" and "TITANIC," 45,000 Tons each. The Largest Steamers in the World.

À Queenstown, un passager nommé Robert Phillips écrivit cette carte postale à un ami : « Jusqu'à présent, tout va bien pour nous et nous nous amusons beaucoup. »

ADIEU À L'IRLANDE

Dans le port de Queenstown (Cobh aujourd'hui), 120 passagers irlandais embarquèrent sur le bateau. À l'exception de sept d'entre eux, ils avaient tous des billets de troisième classe. Il s'agissait pour la plupart de femmes et d'hommes jeunes, pauvres, issus de la campagne et qui espéraient trouver une vie meilleure en Amérique.

Passagers irlandais attendant sur le quai de la White Star à Queenstown en Irlande, photographiés depuis le *Titanic* par Francis Browne avant qu'il ne quitte le bateau.

EN AVANT TOUTE !

Sur le *Titanic*, tout fonctionnait grâce à la puissance de la vapeur, des hélices aux lumières, en passant par le chauffage et les ascenseurs. La vapeur était produite par 29 énormes chaudières renfermant 159 foyers où l'on brûlait du charbon.

LA PUISSANCE DE LA VAPEUR

Les chaudières produisaient de la vapeur, laquelle alimentait trois énormes moteurs entraînant chacun une des hélices du navire. Tout à l'arrière, la vapeur alimentait aussi quatre moteurs plus petits qui généraient de l'électricité pour tout le navire.

Les moteurs qui faisaient tourner les hélices étaient aussi hauts qu'une maison de trois étages.

L'ALIMENTATION DES FOYERS

Des équipes de chauffeurs enfournaient le charbon à la pelle dans les chaudières. Ils en retiraient également quelque 100 tonnes de cendres par jour. Ce travail effectué dans une chaleur torride était dangereux. Les chauffeurs étaient chaussés de galoches pour protéger leurs pieds des charbons ardents.

UN SALE BOULOT

Dans les soutes, des soutiers veillaient au maintien du niveau de charbon qu'ils envoyaient par pelletées par des déversoirs aux chauffeurs se trouvant plus bas. Leur visage était couvert d'un linge humide pour le protéger de la poussière de charbon.

FURNACE N⁰ 7

FIRE FURNACE N⁰ 6

Couverts d'une poussière de charbon noire, les 176 chauffeurs et les 73 soutiers du *Titanic* étaient surnommés *the black gang*, « l'équipe noire ».

LE RMS *TITANIC* EN ROUTE SUR L'OCÉAN ATLANTIQUE

*Sur le Titanic flottent deux pavillons hissés en haut de chacun de ses mâts.
À l'avant, le pavillon américain indique la destination du navire, à l'arrière,
le pavillon de la White Star montre à quelle compagnie appartient ce paquebot.*

LE RMS *TITANIC* EN CHIFFRES

LONGUEUR : 269 m

LARGEUR : 28 m

HAUTEUR DE LA QUILLE JUSQU'AU SOMMET DES CHEMINÉES : 53 m

HAUTEUR DE LA LIGNE DE FLOTTAISON AU PONT SUPÉRIEUR : 18 m

NOMBRE DE PONTS : 10

VITESSE MAXIMALE : 23 nœuds (43 km/h)

PASSAGERS : 2 603 maximum

MEMBRES DE L'ÉQUIPAGE : 944 maximum

CHAUDIÈRES : 29

FOYERS DES CHAUDIÈRES : 159

MOTEURS : 3

CANOTS DE SAUVETAGE : 20 (dont 4 canots pliants)

« *Jusqu'à présent, nous faisons un voyage merveilleux. Le temps est radieux et le navire magnifique (…) on dirait une ville flottante.* »

Harvey Collyer, passager du *Titanic*, dans une lettre à ses parents, le 11 avril 1912

En mer, les vigies s'aperçurent que leurs jumelles avaient disparu : elles allaient donc être obligées de compter uniquement sur leurs yeux.

FRANCIS BROWNE

UNE DERNIÈRE PHOTO

Francis Browne, prêtre étudiant et amateur éclairé de photographie, quitta le *Titanic* à Queenstown avec son appareil photo et des dizaines de plaques photographiques. Ses photographies constituent le seul témoignage visuel dont on dispose sur le voyage du navire.

Francis Browne prit une des dernières photos du *Titanic* alors que celui-ci quittait l'Irlande, la poupe bondée de passagers de troisième classe.

CHAUFFERIE : PONT ORLOP
Voici une des six salles de chaudières du Titanic ;
aussi larges que le navire, elles étaient dotées de quatre
ou cinq chaudières placées côte à côte.

BIENVENUE À BORD

Le *Titanic* devait être, à l'époque, le navire le plus luxueux du monde, capable de rivaliser avec les plus grands hôtels. Les passagers de première classe, dès qu'ils prenaient le train à Londres pour s'embarquer sur le *Titanic* à Southampton, voyageaient dans un faste extraordinaire.

UN ACCUEIL DE PREMIÈRE CLASSE

Pour cette funeste traversée, le navire accueillit 325 passagers de première classe, dont plusieurs millionnaires américains. Nombre d'entre eux voyageaient avec des domestiques, bonnes, gouvernantes ou chauffeurs. Leurs cabines particulières, dont certaines possédaient un pont privé, étaient situées sur les niveaux supérieurs du navire, loin du vacarme des moteurs.

Embarquant sur le *Titanic* à Southampton, les passagers de première classe gravissent la passerelle.

FIRST CLASS 80 WHITE STAR LINE

STEWARDS ET HÔTESSES

Un bataillon de stewards et d'hôtesses, portant tous un badge numéroté, veillaient sur les passagers et travaillaient à leur seul service : ils les aidaient à s'habiller, faisaient le ménage de leur cabine, leur apportaient boissons et collations, promenaient leur chien et les soignaient s'ils avaient le mal de mer.

Les stewards portaient d'élégantes vestes blanches qui permettaient de les identifier facilement. On pouvait les appeler depuis sa cabine, à toute heure, grâce à une sonnette électrique.

PONT A : LE GRAND ESCALIER CENTRAL
*Voici le grand escalier central : cette impressionnante construction
permettait aux seuls passagers de première classe de descendre
du pont des embarcations (le plus haut) vers les cabines, les salons
et autres installations luxueuses du navire.*

EN PREMIÈRE

Le *Titanic* comprenait 39 suites de première classe sur les ponts B et C. Elles étaient décorées dans des styles différents, imitant celui d'une période historique particulière. Ces suites comportaient chambres, salles de bain, toilettes, salons et chambres supplémentaires pour les domestiques.

UNE CLASSE AU-DESSUS

Toutes les suites et les cabines individuelles de première classe étaient situées aux niveaux supérieurs, loin du bruit des moteurs et à proximité du pont promenade. Elles se trouvaient en outre au centre du bateau, afin que les passagers de première classe ne soient pas trop loin du grand escalier central et des ascenseurs.

Cette reconstitution d'une cabine de première classe visible dans un musée montre le luxe qui caractérisait ces cabines.

TOUT CONFORT

La cabine de première classe avec salle de bain privée – eau chaude, eau froide et douche – était un luxe supplémentaire réservé aux passagers les plus fortunés. Les autres passagers devaient utiliser des salles de bain communes.

Cette image publicitaire de la White Star montre une salle de bain de première classe.

JOHN JACOB ASTOR

Le passager le plus riche à bord était John Jacob Astor, un millionnaire américain qui rentrait aux États-Unis avec sa seconde épouse. Ils voyageaient avec un valet, une bonne, une gouvernante et leur chien Kitty. Ils occupaient les cabines de première classe C62-C64.

« Quel navire ! Nos chambres sont meublées dans le meilleur goût, et extrêmement luxueuses. […] ce sont de vraies chambres, pas des cabines. »

Ida Straus, dans une lettre à une amie postée du *Titanic* à Southampton

ISIDOR STRAUS

IDA STRAUS

LA SUITE DES STRAUS

Une des suites les plus luxueuses de la première classe était la C55-C57 ; occupée par Isidor et Ida Straus, elle comprenait des chambres pour leur bonne, Ellen Bird, et leur majordome, John Farthing.

Les lampes de bureau étaient spécialement conçues pour rester droites malgré le tangage.

DE FOND EN COMBLE

À bord, il y avait quantité d'activités réservées aux passagers de première classe. Ils pouvaient flâner sur le pont promenade ou fréquenter la salle de gymnastique, le court de squash et la piscine. Pour se détendre, ils disposaient aussi de bains turcs et de cafés.

« J'ai fait une longue promenade et un petit somme d'une heure jusqu'à dix-sept heures. L'orchestre jouait l'après-midi à l'heure du thé, mais j'ai préféré savourer un café avec du pain et du beurre au Café Véranda. »

Adolphe Saafeld, passager de première classe

PONT A : PROMENADE COUVERTE DE PREMIÈRE CLASSE
Voici le pont promenade couvert de première classe. S'étendant sur 152 m, soit une longueur supérieure à celle de six courts de tennis, il offrait toute la place nécessaire pour flâner.

Les chaises longues en teck pouvaient être réservées avant le début du voyage ou louées une fois le navire en mer.

BALADE SUR LE PONT PROMENADE
Le pont promenade réservé aux passagers de première classe était un endroit très animé : les passagers bavardaient tout en se promenant ou en profitant de l'air marin assis sur des chaises longues. Ce pont était protégé des intempéries par le pont des embarcations, le plus haut de tous.

POUR MANGER UN MORCEAU

En première classe, trois cafés permettaient de grignoter entre les repas : le Café Véranda, le Palm Court et le Café Parisien. Les familles avec enfants optaient généralement pour le Café Véranda tandis que les jeunes gens préféraient l'ambiance du Café Parisien.

Le Café Parisien ressemblait aux cafés à la mode de Paris avec un avantage supplémentaire : une vue sur la mer que l'on pouvait admirer à travers de grandes fenêtres panoramiques.

Les tasses en porcelaine de Chine dans lesquelles les passagers de première classe dégustaient leur thé avaient été créées spécialement pour le *Titanic*.

RESTER EN FORME

Située sur le pont des embarcations, la salle de gymnastique était équipée d'un matériel dernier cri : rameurs et vélos d'appartement, ainsi qu'un chameau et deux chevaux électriques ! Un professeur de culture physique était disponible pour conseiller et aider les passagers dans l'utilisation de ce matériel.

Thomas McCawley, le professeur de culture physique, montre comment utiliser le rameur.

Les hublots des bains turcs sont ornés de grillages dans le style mauresque contribuant ainsi à créer une atmosphère exotique.

LES BAINS TURCS

Décorés de carreaux émaillés bleu et vert et munis de lampes de style mauresque, les bains turcs comprenaient un hammam, des salles chaudes et froides, et même un bain électrique, sorte d'ancêtre de la cabine UV, où un passager pouvait s'allonger pour transpirer.

PIQUER UNE TÊTE

Sur un pont inférieur, à côté des bains turcs, se trouvait une piscine réservée aux passagers de première classe ; ce fut l'une des premières piscines à être installée sur un paquebot.

À L'EAU !

Après avoir eu bien chaud au hammam des bains turcs, les passagers se rafraîchissaient en allant faire un plongeon dans la piscine. D'autres s'y rendaient simplement pour faire des longueurs afin de se mettre en appétit avant les repas.

Une publicité de la White Star pour la piscine montre des baigneurs en maillots de bain en tricot bleus.

Le long de la piscine étaient disposés des vestiaires et des douches.

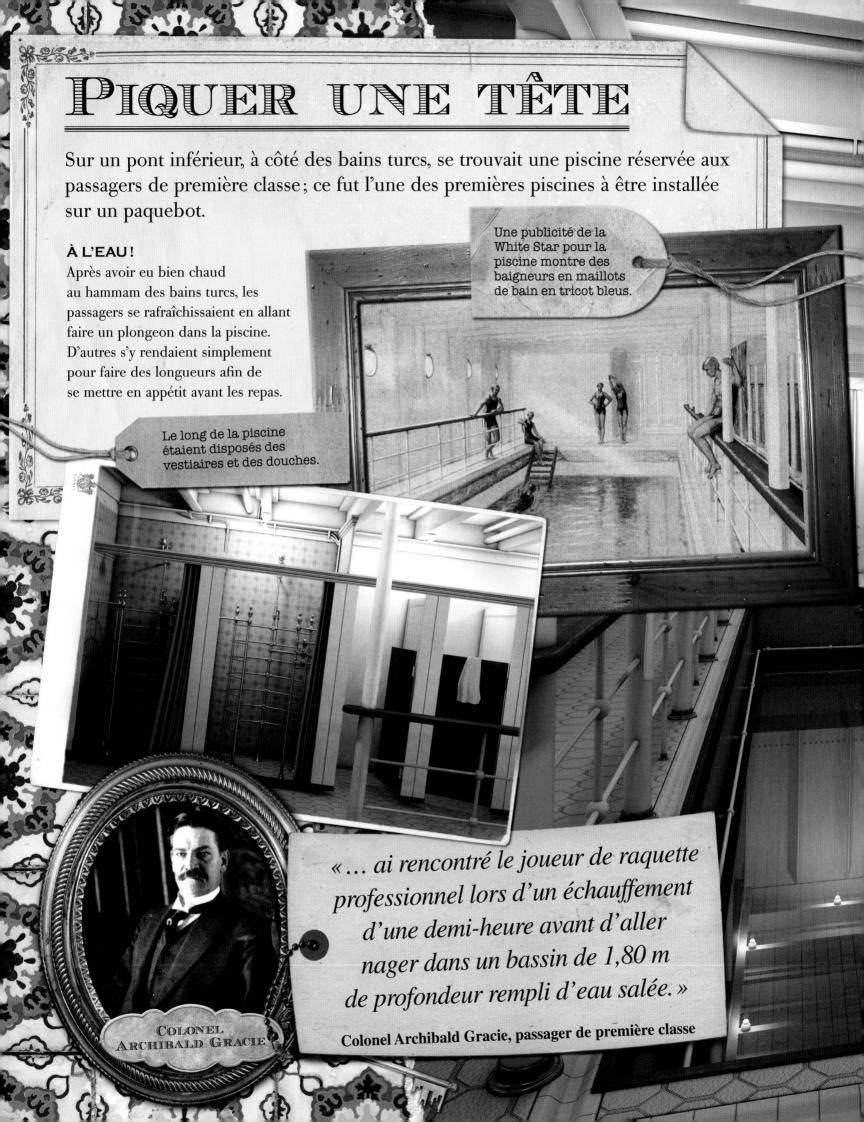

« … ai rencontré le joueur de raquette professionnel lors d'un échauffement d'une demi-heure avant d'aller nager dans un bassin de 1,80 m de profondeur rempli d'eau salée. »

Colonel Archibald Gracie, passager de première classe

COLONEL ARCHIBALD GRACIE

PONT F : LA PISCINE

Voici la piscine qui mesurait 9,10 m de long sur 4,30 m de large et 1,80 m de profondeur. Elle était remplie d'eau de mer chauffée à température ambiante par les chaudières du navire. Quand le navire avançait, ses vibrations provoquaient des vaguelettes à la surface de l'eau du bassin.

LE DÎNER EST SERVI

Pour les passagers de première classe, le dîner était un événement. Ils portaient leurs habits de soirée : les hommes en queue de pie et nœud papillon blanc, les femmes en robe longue et arborant leurs plus beaux bijoux.

Ce menu de première classe montre le grand choix de plats proposés au dîner.

R.M.S. "TITANIC"

APRIL 10, 1912.

HORS D'ŒUVRE VARIÈS

CONSOMMÉ RÉJANE   CRÈME REINE MARGOT

TURBOT, SAUCE HOMARD
WHITEBAIT

MUTTON CUTLETS & GREEN PEAS
SUPRÊME OF CHICKEN À LA STANLEY

SIRLOIN OF BEEF, CHÂTEAU POTATOES
ROAST DUCKLING, APPLE SAUCE
FILLET OF VEAL & BRAISED HAM

CAULIFLOWER   SPINACH
BOILED RICE
BOVIN & BOILED NEW POTATOES

PLOVER ON TOAST & CR
SALAD

PUDDING SANS
CHARLOTTE CO
GRANVIL

FRENCH ICE

44 000 couverts (couteaux, cuillers et fourchettes), 29 000 verres et 57 600 assiettes et bols composaient la vaisselle du *Titanic*.

À TABLE !

Avant le dîner, les passagers se réunissaient dans la salle de réception de première classe. Ils attendaient que le moment de passer à table soit annoncé par le steward-clairon, P. W. Fletcher, qui jouait un air intitulé *Roast Beef of Old England*.

DES METS DÉLICATS

Le dîner comprenait jusqu'à onze plats, servis chacun avec un vin différent. Ces plats à la française étaient aussi savoureux que ceux proposés dans les meilleurs restaurants. Les passagers avaient un très grand choix allant d'un plateau d'huîtres en entrée jusqu'à une crème glacée en dessert.

SERVICE IMPECCABLE

Le dîner pouvait durer plusieurs heures et se déroulait selon des règles strictes. Assiettes, verres et couverts, ornés de l'emblème de la White Star, étaient changés à chaque plat.

Pont D : la salle à manger de première classe

Voici la salle à manger de première classe, qui mesurait 35 m de long et pouvait accueillir jusqu'à 550 convives. Sa décoration était luxueuse, dans le style d'un manoir anglais du début du XVIIᵉ siècle.

« *Des fraises en avril, et au beau milieu de l'océan. Comme tout ceci est agréablement surprenant !* »

Lady Duff Gordon, passagère de première classe

LADY DUFF
GORDON

EN DEUXIÈME CLASSE

Les 285 passagers de deuxième classe étaient ravis de leurs cabines, qui étaient en fait aussi luxueuses que celles des premières classes de beaucoup d'autres navires.

UNE AUTRE CLASSE

Les passagers de deuxième classe étaient également impressionnés par la qualité des mets servis dans leur salle à manger, où un pianiste accompagnait leurs repas. À l'époque, hommes et femmes se séparaient généralement après le dîner. Les hommes se retiraient au fumoir, et les femmes à la bibliothèque ou dans le salon.

DES CABINES DOUILLETTES

Les cabines étaient petites mais confortables ; elles pouvaient comporter jusqu'à quatre couchettes superposées fermées par des rideaux. Les passagers disposaient d'un meuble de toilette en acajou avec miroir, lavabo et robinet d'eau froide. Ils pouvaient demander au steward de leur apporter un broc d'eau chaude.

Des passagers de deuxième classe flânent sur la partie du pont des embarcations qui leur est réservée, avec des chaises pliantes à droite à leur disposition.

Une publicité de la White Star montre une cabine de deuxième classe pour deux personnes dotée d'un confortable divan pour se détendre.

PONT DES EMBARCATIONS : PROMENADE DE DEUXIÈME CLASSE

Voici la zone de promenade de deuxième classe, située à l'arrière du pont des embarcations. L'avant de ce pont est divisé en d'autres zones de promenade destinées aux mécaniciens, aux passagers de première classe et aux officiers.

« *Le navire ressemble à un palais […] ma cabine a l'eau, chaude et froide, un lit qui a l'air très douillet, et elle est très spacieuse.* »

Laurence Beesley, enseignant se rendant aux États-Unis pour les vacances

LAURENCE
BEESLEY

L'ENTREPONT

L'entrepont était un autre terme pour désigner la troisième classe. Le *Titanic* transportait 706 passagers de troisième classe. Originaires de plus de 30 pays différents, ils espéraient tous commencer une vie nouvelle et meilleure aux États-Unis.

UN AVENIR EN AMÉRIQUE

Parmi les passagers de troisième classe se trouvaient 104 Suédois qui avaient déjà fait un long voyage, traversant la mer du Nord pour atteindre Hull, puis prenant le train jusqu'à Southampton. Parmi eux, Carl Asplund, un ouvrier agricole de 40 ans parti avec sa femme et ses cinq enfants, était certain que les États-Unis lui offriraient davantage de possibilités que la Suède.

Carl Asplund avait sur lui ce carnet de voyage dans lequel il avait soigneusement recopié une publicité invitant les Européens à aller s'installer en Californie.

> « La Californie veut des gens comme vous. Il est temps de vous y rendre. »

Carnet de voyage de Carl Asplund

À Queenstown (Irlande), un médecin américain examine les yeux de passagers irlandais de troisième classe pour vérifier qu'ils ne présentent pas de symptômes du trachome.

CONTRÔLES SANITAIRES

Les passagers de troisième classe devaient subir des contrôles sanitaires stricts qui permettaient de sélectionner ceux qui entreraient aux États-Unis. Avant même de pouvoir embarquer, on les examinait pour s'assurer qu'ils ne présentaient pas de maladies infectieuses.

LES CABINES DE TROISIÈME CLASSE

Elles étaient situées sur les ponts inférieurs, à l'avant et à l'arrière du navire, près du bruit des moteurs. Bien que petites, elles étaient propres et modernes, avec l'électricité, le chauffage ainsi qu'un lavabo alimenté en eau froide par une citerne.

Les salles à manger de troisième classe étaient dotées de chaises et non de bancs comme dans la plupart des autres navires.

Cabine de troisième classe équipée de deux couchettes avec couvertures et oreillers garnis de plumes mais sans draps.

POUR SE DIVERTIR

La troisième classe possédait une salle commune destinée aux familles ainsi qu'un fumoir avec bar pour les hommes. Chaque soir, les passagers s'y réunissaient pour faire de la musique, chanter, danser et discuter avec animation de leur avenir aux États-Unis.

Les murs de la salle commune étaient peints en blanc et ornés d'affiches colorées de la White Star représentant des navires et leurs destinations.

DES PLATS SIMPLES

Il y avait deux salles à manger de troisième classe aux murs blancs. Leur capacité totale d'accueil étant de 473 convives, il y avait deux services. Les plats, tels que le bœuf bouilli accompagné de pommes de terre vapeur, étaient simples mais roboratifs. En outre, des fruits et du pain fraîchement cuit étaient servis à chaque repas.

En troisième classe, la vaisselle était simple, mais elle était tout de même ornée de l'emblème de la White Star.

SOUDAIN, LA CATASTROPHE

Le soir du dimanche 14 avril, le *Titanic* naviguait vers l'ouest à une vitesse légèrement inférieure à sa vitesse maximale. La présence d'icebergs avait été signalée, mais le capitaine Smith ne donna pas l'ordre de ralentir l'allure.

L'ALERTE EST DONNÉE

À 23 h 40, Frederick Fleet, vigie sur le nid-de-pie du Titanic, avisa un objet sombre qui faisait face au navire. Il fit retentir la cloche d'alerte et téléphona à la passerelle : « Iceberg droit devant ! »

La cloche du nid-de-pie retentit trois fois, signal d'alerte avertissant d'un danger droit devant.

VIRER DE BORD

Sur le pont, le premier officier William Murdoch ordonna au quartier-maître Robert Hitchens de mettre la barre à bâbord (gauche) toute et aux mécaniciens de renverser la vapeur.

LA COLLISION

Le *Titanic* tourna lentement, mais juste assez pour éviter une collision frontale. Après les affres d'une attente de 37 secondes, il percuta l'iceberg par le travers tribord (à droite).

Les transmetteurs d'ordres du navire furent utilisés pour commander à la salle des machines de ralentir et de renverser la vapeur.

QUITTEZ LE NAVIRE !

Peu après la collision du *Titanic* avec l'iceberg, Thomas Andrews, l'architecte du navire, et le capitaine Smith examinèrent les dégâts. Andrews annonça au capitaine que le paquebot était condamné et coulerait dans précisément deux heures.

Cet iceberg photographié dans l'Atlantique le 12 avril est peut-être celui que le *Titanic* percuta avant de sombrer.

LES DÉGÂTS

Le choc avec l'iceberg a fait sauter des rivets et ouvert des voies d'eau sur près de 80 m sur le côté droit de la coque, inondant six des compartiments étanches dont Murdoch avait tout de suite commandé la fermeture des portes. Cependant, une fois que l'eau avait atteint le sommet d'un compartiment, elle se répandait dans le suivant, les compartiments n'étant isolés les uns des autres que jusqu'à une certaine hauteur.

LES GILETS DE SAUVETAGE

Peu après minuit, le capitaine Smith ordonna de préparer les passagers à quitter le navire. L'équipage découvrit les canots et distribua les gilets de sauvetage. Il y avait un gilet par personne. Ces gilets assuraient le maintien à flot des personnes mais n'offraient aucune protection contre le froid.

Les gilets de sauvetage du *Titanic* étaient constitués de flotteurs en liège recouverts de toile.

Un lent naufrage

Tandis que les compartiments
« étanches » situés à l'avant de la coque
se remplissaient d'eau, le *Titanic*
s'enfonçait lentement par la proue. Sur
le pont, le quatrième officier Boxhall
envoya des fusées de détresse dans
l'espoir qu'un navire les verrait.

LES CANOTS DE SAUVETAGE

L'équipage aida des passagers à monter sur les
canots de sauvetage jusqu'à ce que les deux derniers
soient descendus à la mer. Après le départ de tous
les canots, où 706 personnes auraient pris place,
il restait plus de 1 500 personnes à bord.

LAISSÉS À BORD

La plupart des passagers restés à bord se dirigèrent
vers la poupe qui se soulevait à la verticale, en
s'accrochant aux équipements et au bastingage.
Le pont devenant trop raide pour s'y tenir debout,
certains se jetèrent dans la mer glacée dans l'espoir
de nager jusqu'à un canot. Même à ce stade
tardif du naufrage, les lumières continuaient
à briller grâce aux mécaniciens qui restèrent
courageusement à leur poste.

LA PASSERELLE DE NAVIGATION : LA TIMONERIE

*Voici la timonerie du Titanic d'où l'homme de barre manœuvrait le navire.
La pièce de devant est la passerelle couverte; c'est là que l'officier de quart en
charge de la conduite du navire exerçait sa surveillance et donnait ses ordres.*

« *Un iceberg, monsieur. J'ai ordonné de mettre la barre
à bâbord et de renverser la vapeur et j'allais virer
à tribord, mais l'iceberg était trop proche.* »
Premier officier William Murdoch

PREMIER OFFICIER
WILLIAM MURDOCH

À L'ASSAUT DES CANOTS

Aucun exercice d'alerte n'ayant été effectué, bon nombre de passagers et de membres de l'équipage ne savaient pas quoi faire en de telles circonstances.

LES FEMMES ET LES ENFANTS D'ABORD !

Les officiers Murdoch et Lightoller étaient responsables des canots se trouvant de chaque côté du bateau. Ils embarquèrent en priorité des femmes et des enfants, auxquels se joignirent quelques membres de l'équipage chargés de ramer. Beaucoup de femmes refusèrent de partir sans leur mari, et certains canots de sauvetage quittèrent le paquebot à moitié vides.

LES DERNIERS CANOTS

Quand il apparut clairement que le navire était vraiment en train de couler, les passagers se précipitèrent pour avoir une place dans un des canots. Le temps que les passagers de troisième classe parviennent à se frayer un chemin jusqu'au pont supérieur, les canots étaient déjà presque tous partis.

Placés à 18 m de hauteur, les canots de sauvetage devaient être descendus lentement à la mer.

Ce dessin montre un embarquement très ordonné, les femmes lançant un dernier adieu aux hommes qui restent à bord.

« Il n'y avait pas assez de canots pour accueillir la moitié des gens, et les chances qu'avait l'autre moitié de s'en sortir dans cette eau glaciale étaient nulles. » **Le deuxième officier Charles Lightoller**

CHARLES LIGHTOLLER

LE *TITANIC* S'ENFONCE DANS L'EAU

Voici le Titanic en train de couler, tel qu'on pouvait le voir depuis les canots de sauvetage. Il est environ 2 heures du matin, et les lumières du navire brillent encore, mais dans vingt minutes précisément, le Titanic aura sombré.

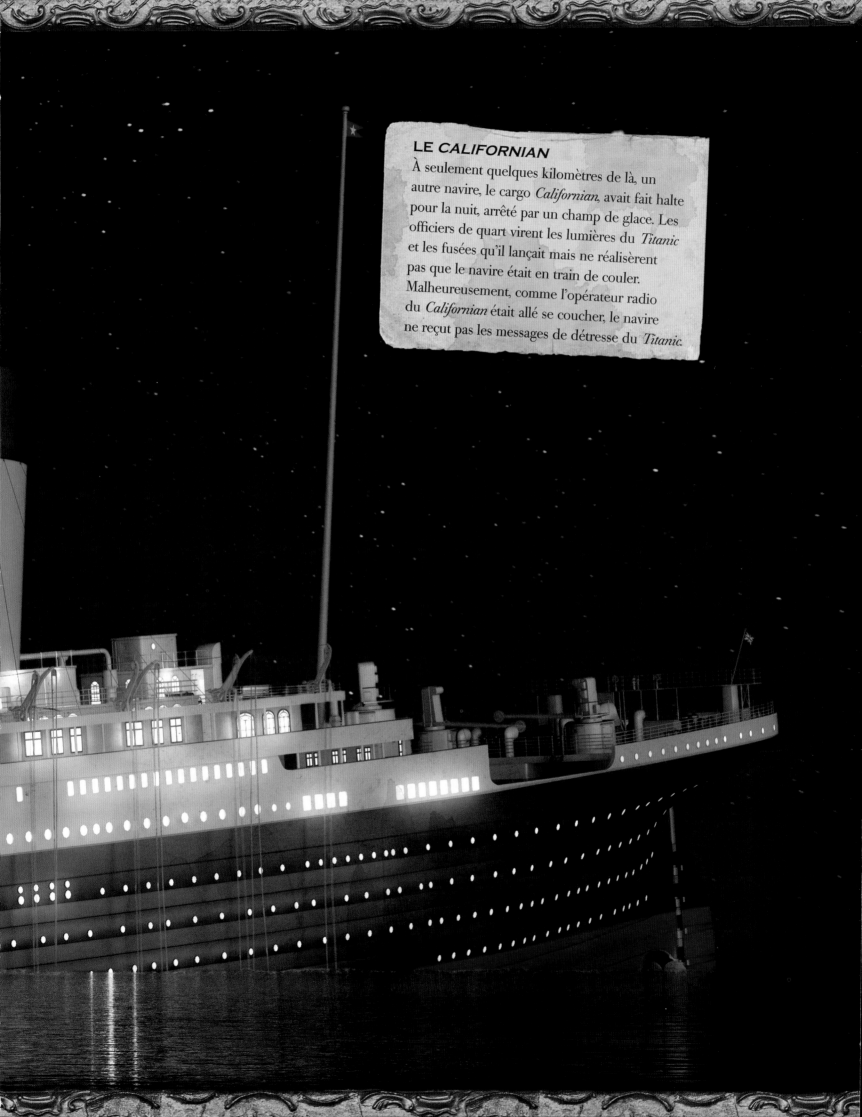

LE *CALIFORNIAN*

À seulement quelques kilomètres de là, un autre navire, le cargo *Californian*, avait fait halte pour la nuit, arrêté par un champ de glace. Les officiers de quart virent les lumières du *Titanic* et les fusées qu'il lançait mais ne réalisèrent pas que le navire était en train de couler. Malheureusement, comme l'opérateur radio du *Californian* était allé se coucher, le navire ne reçut pas les messages de détresse du *Titanic*.

LES CANOTS À LA MER

Le capitaine Smith donna l'ordre à ses officiers de faire embarquer les passagers dans les canots de sauvetage. Selon la règle universelle en vigueur, les femmes et les enfants devaient y monter les premiers. Le *Titanic* ne comptait que 20 canots de sauvetage, soit une capacité d'accueil de 1 178 personnes seulement pour les 2 223 qui se trouvaient à son bord.

Sur le pont des embarcations se trouvaient 14 grands canots de sauvetage en bois pouvant accueillir 65 personnes chacun.

C'est la seule photographie qu'on ait d'un opérateur radio au travail à bord du *Titanic*. La radio du paquebot avait une portée de 1 600 km.

À L'AIDE !

À 00 h 10, Smith donna l'ordre aux opérateurs radio du paquebot d'envoyer des messages de détresse. Les radios émettaient alors en morse. Ils envoyèrent le signal de détresse classique, CQD, et, pour une des premières fois, le nouveau signal qui avait été adopté récemment : SOS.

« Nous coulons rapidement. Les passagers sont évacués dans des canots. »

Dernier message envoyé par l'opérateur radio Jack Phillips

JACK PHILLIPS

> « *C'est à nous de retourner chercher tous ceux qui se trouvent dans l'eau.* »
>
> **Charles Hendrickson, membre de l'équipage, sur le canot 1**

CHARLES HENDRICKSON

DERNIER INSTANTANÉ

Craignant d'être aspirés par le navire en train de sombrer, les rameurs sur les canots de sauvetage s'activèrent pour s'en écarter le plus possible. À 2 h 20, ils virent finalement le *Titanic* disparaître dans les flots. Aussitôt retentirent les appels au secours des centaines de personnes qui se retrouvaient à l'eau.

Photographié le lendemain matin du naufrage, le canot 14 remorque un des canots pliants en toile.

Sir Cosmo Duff Gordon fit verser une somme d'argent à chacun des marins qui avaient manœuvré le canot où il avait pris place.

PAS DE DEMI-TOUR

À bord de différents canots de sauvetage, Molly Brown, Charles Hendrickson et lady Rothes suggérèrent de faire demi-tour pour aller chercher des survivants à la mer. Mais la proposition fut rejetée par des passagers qui craignaient que leur canot soit submergé. Une femme aurait dit : « Pourquoi perdre tous la vie en tentant vainement d'en sauver d'autres ? »

CANOT À LOUER ?

Le canot n° 1 aurait pu rebrousser chemin pour aller repêcher des survivants. Conçu pour accueillir 40 personnes, il n'en transporta que 12, parmi lesquelles sir Cosmo et lady Duff Gordon. Plus tard, sir Cosmo versa de l'argent aux membres de l'équipage du canot, et fut accusé de l'avoir « loué » pour son seul usage.

MOLLY BROWN

LA COMTESSE DE ROTHES

PONT A : LE GRAND ESCALIER CENTRAL

Voici une vue impressionnante du grand escalier central alors que l'eau monte, recouvrant les marches les unes après les autres. Dans quelques instants, les lumières s'éteindront, et l'eau provenant du pont situé au-dessus brisera la coupole de verre qui surplombe l'escalier et s'engouffrera dans le paquebot.

DERNIERS INSTANTS

Plus tard, les survivants firent état de la bravoure des personnes qui avaient sombré avec le *Titanic*. Parmi celles dont on vanta l'héroïsme se trouvaient les musiciens du navire, qui continuèrent à jouer alors même que le navire coulait, ainsi que le millionnaire américain Benjamin Guggenheim.

EN « GENTLEMEN »

Guggenheim ne chercha pas à sauver sa vie et refusa de mettre un gilet de sauvetage. Après avoir aidé des passagers à monter dans les canots, il retourna dans sa cabine en compagnie de son valet de chambre. Là, ils s'habillèrent en tenue de soirée et attendirent la fin « en gentilshommes ».

THE ILLUSTRATED LONDON NEWS, April 27, 1912.—638

BRAVE AS THE "BIRKENHEAD" BAND: THE "TITANIC'S" MUSICIAN HEROES.

Jusqu'au bout, les musiciens du *Titanic* interprétèrent des morceaux enjoués pour maintenir le moral des passagers.

BENJAMIN GUGGENHEIM

« Nous avons revêtu nos plus beaux habits et nous préparons à mourir en gentlemen. »

Benjamin Guggenheim à un steward

1. MR. F. CLARKE, OF LIVERPOOL.
2. MR. G. KRINS, OF BRIXTON, SOMETIME OF THE RITZ HOTEL ORCHESTRA. 4. MR. W. HARTLEY (BANDMASTER), OF DEWSBURY.
5. MR. J. HUME, OF DUMFRIES.
3. MR. P. C. TAYLOR, OF CLAPHAM.
5. MR. W. T. BRAILEY, OF NOTTING HILL.
7. MR. J. W. WOODWARD, OF HEADINGTON, OXON.

LE SAUVETAGE

Beaucoup de bateaux avaient reçu les messages radio de détresse envoyés par le *Titanic*, mais un seul se trouvait suffisamment près de lui pour porter secours aux survivants : le *Carpathia*, un paquebot de la compagnie Cunard commandé par le capitaine Arthur Rostron.

MESSAGE REÇU !

Quand le radio du *Carpathia* capta le message de détresse du *Titanic*, il était environ 00h25 ; il se trouvait à 93 km environ au sud-est du navire en perdition et se dirigeait vers l'est. Le capitaine Rostron donna l'ordre de changer de cap et de forcer l'allure. Il prépara avec soin son paquebot à une opération de sauvetage, donnant l'ordre de préparer des boissons chaudes, de la soupe et du matériel médical pour les survivants.

Le *Carpathia* faisait route depuis New York vers Gibraltar quand le message de détresse du *Titanic* lui parvint.

VITESSE MAXIMALE

Le *Carpathia* était censé naviguer à une vitesse maximale de 14 nœuds (26 km/h), mais en mettant tous les chauffeurs au travail, Rostron réussit à porter cette vitesse à 17 nœuds (31 km/h). Les ponts du paquebot, qui n'étaient pas habitués à une telle vitesse, tremblaient, tandis que le navire fonçait à toute vapeur vers le *Titanic*.

CAPITAINE ARTHUR ROSTRON

« *Des icebergs surgissaient et dérivaient ; nous n'avons jamais ralenti, même si nous avons parfois changé brusquement de cap pour les éviter.* »

Le capitaine Arthur Rostron se remémorant la course effrénée vers le *Titanic*

PRESENTED
TO THE
CAPTAIN
OFFICERS & CREW
OF
R.M.S. "CARPATHIA"
IN RECOGNITION OF GALLANT &
HEROIC SERVICES
FROM THE SURVIVORS
OF THE
S.S. "TITANIC"
APRIL 15TH 1912
DIEGES & CLUST
N.Y.

LE SAUVETAGE COMMENCE

C'est à 4 heures du matin, une heure et quarante minutes après que le *Titanic* eut sombré, que le *Carpathia* arriva sur les lieux de la catastrophe. Les canots de sauvetage étaient alors dispersés sur plusieurs kilomètres carrés. L'équipage du *Carpathia* mit quatre heures pour récupérer les 706 survivants.

Les rescapés du *Titanic* exprimèrent plus tard leur reconnaissance aux 320 membres de l'équipage du *Carpathia* en leur offrant à chacun cette médaille.

Les rescapés du *Titanic* sur le pont du *Carpathia* sont enroulés dans des couvertures.

LE SILENCE DES RESCAPÉS

Le capitaine Rostron fut frappé de constater combien les rescapés étaient silencieux. Ils ne se réjouissaient pas d'avoir été sauvés. Beaucoup de femmes ayant perdu leur époux étaient sous le choc et en proie au chagrin. Les enfants qui avaient perdu leur père espéraient encore qu'un miracle permettrait de le retrouver.

LES MORTS

Les secours arrivèrent trop tard pour les naufragés tombés à la mer, qui moururent tous pendant la première heure où ils se retrouvèrent dans l'eau glacée. Dans les jours qui suivirent, d'autres navires se mirent à la recherche des disparus. 328 corps furent retrouvés, dont 116 confiés à la mer.

Les rescapés du canot n° 1 en sécurité à bord du *Carpathia*, parmi lesquels sir Cosmo Duff Gordon (troisième à partir de la gauche au dernier rang)

APRÈS LA TRAGÉDIE

La nouvelle du naufrage du *Titanic* se répandit rapidement à travers le monde. Partout, l'on fut à la fois choqué et fasciné par cette catastrophe. Au bout de quelques mois sortirent les premiers films, livres et chansons sur le *Titanic*.

NOUVELLES DE LA CATASTROPHE

Pendant des semaines, les journaux remplirent leurs colonnes avec la catastrophe du *Titanic* et les 1517 personnes disparues en mer. Il y avait quantité de récits sur l'héroïsme de l'équipage et de certains passagers qui avaient sacrifié leur vie. En outre, une légende naquit selon laquelle les constructeurs du *Titanic* auraient affirmé qu'il était «insubmersible».

LES LEÇONS DE LA CATASTROPHE

À New York et à Londres, des commissions d'enquête travaillèrent à déterminer les causes et le déroulement de la catastrophe. Elles conclurent que le *Titanic* naviguait trop vite vu les circonstances et elles préconisèrent que tous les passagers devaient avoir une place à bord des canots de sauvetage.

Jeune vendeur de journaux devant les bureaux de la White Star à Londres, le 16 avril 1912

J. Bruce Ismay, président de la White Star, répond aux questions lors de la commission d'enquête sur la catastrophe.

TITANIC DISASTER GREAT LOSS OF LIFE
EVENING NEWS

EN SOUVENIR DU *TITANIC*

La ville la plus affectée par le naufrage du *Titanic* fut Southampton, en Angleterre, où vivaient 724 membres de l'équipage, dont 175 seulement survécurent. En 1914, plus de 100 000 personnes se rassemblèrent dans cette ville pour l'inauguration d'un monument à la mémoire des mécaniciens du *Titanic*.

À Southampton, monument à la mémoire des mécaniciens du *Titanic* morts en service

« *Soyez britanniques ! C'était le mot d'ordre quand le navire sombra. Chaque homme fut fidèle au poste. Le capitaine et son équipage allaient sauver les femmes et les enfants d'abord.* »

Paroles de *Be British (Soyez britanniques)* de Lawrence Wright, 1912

UNFORGETTABLE!
BREATHTAKING!
BRILLIANT!

TOLD AS IT REALLY HAPPENED!

A NIGHT TO REMEMBER

A NEW MOTION PICTURE
Never before seen on
Screen or
Television!

Le scénario du film *A Night to Remember* (1958) avait pour origines des entretiens avec des rescapés.

NOTHING ON EARTH COULD COME BETWEEN THEM.

LEONARDO DiCAPRIO   KATE WINSLET

TITANIC

Le film *Titanic* fait du naufrage le théâtre d'une histoire d'amour entre deux passagers de classes différentes.

SOYEZ BRITANNIQUES !

Le capitaine Smith, qui mourut sur le *Titanic*, fut élevé au rang de héros. Selon un journal, les derniers mots qu'il aurait criés dans un mégaphone furent : « Soyez britanniques ! » Cette histoire inspira une chanson populaire, enregistrée sur disque en 1912 afin de récolter des fonds pour les rescapés.

LE *TITANIC* AU CINÉMA

Plus de vingt films ont été consacrés au *Titanic*. Le plus exact sur le plan historique est *A Night to Remember* (1958) ; le plus célèbre est *Titanic* (1997), qui fut l'un des plus grands succès cinématographiques de tous les temps.

THE RANK ORGANIZATION presents

KENNETH MORE

in

A NIGHT TO REMEMBER

Based on the book by WALTER LORD

L'ÉPAVE AUJOURD'HUI

Le *Titanic* gît toujours par 3 800 m de profondeur dans l'océan Atlantique, où il sombra il y a un siècle. L'épave fut découverte en 1985 par une équipe franco-américaine dirigée par Robert Ballard.

LA DÉCOUVERTE

Après deux mois de recherches, Ballard découvrit l'épave du paquebot grâce à un robot sous-marin télécommandé. En coulant, le *Titanic* s'était coupé en deux : la proue et la poupe se trouvaient à 600 m l'une de l'autre. Entre les deux, des débris du navire étaient éparpillés sur le fond de l'océan.

Au fond de l'océan, la proue du *Titanic*, couverte de rouille, a encore son bastingage.

L'hélice droite en bronze est parfaitement conservée : le bronze ne rouille pas.

Plats en porcelaine soigneusement alignés au fond de l'océan à l'endroit où ils se posèrent.

LES VESTIGES DU *TITANIC*

Ballard estimait qu'il ne fallait pas toucher à l'épave. Toutefois, dans les années 1990, une société américaine baptisée RMS *Titanic*, Inc. commença à récupérer des objets provenant du paquebot. Depuis, plus de 5 500 objets ont été remontés et exposés lors d'expositions itinérantes.

QUEL AVENIR POUR LE *TITANIC* ?

L'épave du *Titanic* s'effondre peu à peu, rongée par la corrosion qui détruit l'acier du navire. Personne ne sait avec certitude pendant combien de temps encore elle subsistera au fond de la mer, mais la fascination que nous éprouvons pour le navire le plus célèbre de l'histoire, elle, n'est pas près de disparaître. On n'oubliera jamais le *Titanic*.

Ce haut-de-forme en soie cabossé appartenait à un passager de première classe.